Caro leitor,

o meu desejo é que você esteja sempre melhor.

José Carlos De Lucca

SEMPRE MELHOR

Editores: *Luiz Saegusa* e *Claudia Zaneti Saegusa*
Direção Editorial: *Claudia Zaneti Saegusa*
Organização: *Claudia Zaneti Saegusa*
Colaboração: *Cristina De Lucca*
Capa: *Casa de Ideias*
Projeto Gráfico e Diagramação: *Casa de Ideias*
Finalização: *Mauro Bufano*
16ª edição: 2025
Impressão: *Lis Gráfica e Editora*

Dados Internacionais de Catalogação na Publicação (CIP)
(Câmara Brasileira do Livro, SP, Brasil)

De Lucca, José Carlos
Sempre melhor / José Carlos De Lucca. --
1. ed. -- São Paulo : Intelítera Editora, 2014.
Bibliografia
1. Espiritismo 2. Mensagens I. Título.

14-01048 CDD-133.93

Índices para catálogo sistemático:
1. Mensagens espíritas : Espiritismo 133.93

ISBN 978-85-63808-26-4

Intelítera Editora
Rua Lucrécia Maciel, 39 - Vila Guarani
CEP 04314-130 - São Paulo - SP
(11) 2369-5377 - (11) 93235-5505
www.intelitera.com.br - facebook.com/intelitera

O autor cedeu os direitos autorais
deste livro ao
Grupo Espírita Esperança
Rua Moisés Marx, 1.123,
Vila Aricanduva, São Paulo, SP.
Tel. 11.99412.0609
grupoesperanca.com.br

APRESENTAÇÃO

Na oportunidade em que o livro ***O Médico Jesus*** completou a marca de 100.000 exemplares vendidos, recebi um cartão comemorativo feito em homenagem ao autor José Carlos De Lucca, em que foi transcrita uma frase do seu livro. E essa frase tocou profundamente meu coração, como se eu a estivesse lendo pela primeira vez, embora o livro já fosse um velho conhecido meu. Parece-me que, ao lermos um livro, nem sempre notamos, à primeira vista, as joias raras vestidas muitas vezes de palavras simples!

Então pensei: assim como aquela frase maravilhosa, existem inúmeras outras pedras preciosas engastadas nos livros escritos por esse autor que tanto tem sensibilizado e iluminado seus leitores, com mais de 1 milhão de livros vendidos.

Desta forma, surgiu o livro **Sempre Melhor** com o objetivo de levar mensagens curtas e diretas, extraídas de cinco livros que até o momento a Intelítera Editora publicou do autor José Carlos De Lucca, e o fizemos no formato de livro de bolso, para que possamos levá-lo conosco sempre que precisarmos e, assim, sentirmos as palavras acolhedoras de De Lucca em nosso dia a dia.

Espero que você goste de lê-lo o tanto quanto eu adorei organizá-lo, e que essa leitura torne sua vida Sempre Melhor!

Claudia Saegusa

SEMPRE MELHOR

1

Quando estamos em um lugar que nos desagrada e nos provoca algum sofrimento, a solução mais lógica é deixarmos esse local. Quando pretendemos chegar a uma cidade ao norte e pegamos uma estrada ao sul, precisamos fazer uma conversão para alcançar a rodovia correta.

Na enfermidade ocorre a mesma coisa. A doença é um aviso de que estamos dirigindo o carro da nossa vida pela estrada errada, e geralmente essa estrada se chama "desequilíbrio".

Por isso, não há cura verdadeira sem mudança de estrada, sem uma conversão de nossa parte.

Reflita sobre seus atos e caminhos, sem nenhum propósito de se culpar pelo que tem feito. O objetivo é torná-lo consciente das escolhas que tem feito, estimulando-o a tomar uma nova estrada que o levará ao destino da saúde e da felicidade.

Nunca é tarde para mudar de caminho, por piores que tenham sido as estradas do erro percorridas. Jesus não desistiu de você. A doença é um chamado para voltarmos ao caminho do bem.

2

Você tem experimentado raiva, frustração, pavor, ressentimento, culpa e autodesprezo. Tem experimentado os reflexos físicos desses sentimentos negativos que intoxicam seu corpo espiritual e descem para os níveis físicos em formas de doenças das mais variadas espécies.

Chegou a hora de você experimentar o amor como o elixir capaz de restaurar a saúde espiritual. Chegou a hora de você inverter a polaridade negativa que se estabeleceu em sua vida por conta das escolhas que tem feito até agora.

Mude o botão da sintonia.

O amor não é material, é sentimento que se converte na mais poderosa energia de vida. Sentimos amor todas as vezes que manifestamos compaixão, doação, bondade, perdão, alegria e paz. E quando exprimimos amor, todo o nosso cosmo orgânico vibra na sua mais alta frequência, afastando a doença e restabelecendo a saúde e o bem-estar.

3

Não traga o ontem para o hoje. Entreguemos nosso coração ferido para os dias que já se foram. Para dar as boas-vindas ao novo dia é preciso se despedir do dia velho. Pense e esteja decidido a deixar no chão do tempo tudo aquilo que não pode ser mais mudado.

Hoje Deus lhe deu o presente mais valioso que você já recebeu em sua existência. Ele lhe deu o tesouro do tempo para que você o aproveite e escreva, com atitudes positivas, a sua história de felicidade. O minuto de quem chega à vitória é o mesmo minuto de quem experimenta o fracasso.

Vamos dar corda no relógio de nossa vida?

4

As tensões e preocupações excessivas com a vida material nos apartaram do sentido real da nossa vida, que é a conquista dos tesouros espirituais. Ainda que possamos desfrutar dos bens materiais, nossa missão nesta vida não é comprar, adquirir, ostentar, possuir.

É preciso lembrar constantemente que somos, essencialmente, espíritos em viagem de adiantamento na face da Terra, e que as tarefas que desempenhamos no mundo material objetivam desenvolver as qualidades do nosso Espírito imortal, especialmente a bondade e a inteligência.

Por isso é que nossa alma somente se alimenta das coisas espirituais. Quando esquecemos estas verdades, surge um problema de desabastecimento espiritual que repercute em nossa vida física, na forma de doenças, relacionamentos conflituosos, problemas financeiros e sensação de vazio existencial. O Espírito é o centro da nossa vida na matéria.

Nosso problema é querer materializar o Espírito, quando, na verdade, precisamos espiritualizar a matéria.

5

O homem é chamado a ser sal da Terra para oferecer a sua contribuição pessoal na obra de Deus. Somos chamados a dar o nosso toque pessoal. Por isso não podemos esperar por uma vida isenta de desafios, ao contrário, é na superação dos desafios que o homem encontrará o sentido da própria vida ao descobrir que pode fazer em ponto menor o que Deus faz em ponto maior.

Nisso reside a compreensão da expressão bíblica: "Sois deuses".

Quando nos tornamos sal da Terra, abandonamos a mediocridade, a preguiça, a insegurança e o medo, cujos comportamentos são a causa da grande maioria dos nossos problemas. Nossa autoestima também se fortalece, e realizamos todo o potencial divino que mora em cada ser humano.

6

A posição de vítima que muitos de nós assumimos diante dos problemas que nos acometem é uma das piores tragédias que nos poderiam acontecer, pois nos faz sentir injustiçados perante a vida. E a vítima não age; chora improdutivamente, revolta-se contra tudo e contra todos, e permanece à espera de um salvador que possa resolver suas dores.

Seremos consolados quando choramos a partir da compreensão de que não sofremos sem uma justa razão de ser e que nossas lágrimas não representam castigos de Deus, mas apenas o débito que contraímos no passado de hoje ou de ontem, com a possibilidade de refazermos nosso caminho, nosso modo de ser e de agir, eliminando, assim, as causas do nosso sofrimento.

Convertamos a dor em aprendizado para a nossa alma. Aceitemos a prova como recurso divino, destinado a retificar nossos passos na Terra, expulsando as nuvens da revolta e do desânimo que ainda pairam sobre o nosso coração e estimulando os nossos potenciais de crescimento perante a vida.

7

Não podemos controlar o que os outros dizem a nosso respeito, tampouco as atitudes que têm para conosco. Mas temos o controle e a responsabilidade sobre a maneira de como iremos reagir a tudo isso. A mágoa não é a única possibilidade que se tem diante da ofensa. Usando uma linguagem figurada, Jesus propõe que, se alguém bater em nossa face, possamos também oferecer a outra.

Quando Jesus pede para fazermos assim, na verdade ele está nos ensinando a não agir da mesma forma que o agressor, não revidando a ofensa, não devolvendo a agressão. Jesus está mostrando que temos outra opção além do revide. Se devolvermos a ofensa, estaremos nos nivelando a quem nos agrediu, e assim ficaremos com a lata de lixo que nos foi jogada.

8

Sem a renovação mental, não conseguiremos experimentar as coisas boas que Deus preparou para nós. Sem a renovação da nossa mente, não haverá renovação das nossas células doentes, não haverá transformação das energias negativas que nos acompanham, não haverá abertura de caminhos para a nossa prosperidade, nem haverá espaço para que o amor entre em nossa vida.

É possível concluir que muitos dos nossos problemas são originários do excesso de pensamentos negativos acumulados em nossa mente. Pensamentos que nós aceitamos e validamos, e que agora carecem de ser eliminados.

9

Quando o sofrimento nos transfigura as próprias feições; quando, as pessoas se afastam de nós, com receio de que venhamos a lhes pedir algo em nosso socorro; quando a doença grave nos isola no quarto sem recursos e quando a miséria nos torna pessoas sem valor para o mundo, o Amigo Jesus surge e posta-se ao nosso lado, enxugando o nosso pranto, segurando firme a nossa mão, enchendo nosso coração de esperança e ensinando que a dor, quando suportada com paciência e dinamismo, encerra em si mesma a oportunidade de libertação de nossas mazelas espirituais para a glória de dias venturosos.

10

Esquecer o mal significa fazer uma faxina nas lembranças amargas de toda a negatividade que permitimos entrar em nossa vida. Varrer mágoas, culpas, melindres e traumas para bem longe de nosso caminho.

Além de esquecer o mal precisamos crer no bem. Crer na sua vitória, crer na cura, na saúde, na prosperidade, na harmonia familiar, acreditar na felicidade. E toda essa crença positiva se conquista quando nos dispomos a servir com amor. Ser um servidor no lar, no trabalho, na comunidade.

Quando servimos amorosamente, nossos gestos ficam impregnados de uma energia tal que não há portas que não se abram para o nosso progresso material e espiritual.

11

Não raro, criamos, inconscientemente, nossas próprias doenças para satisfazer certas necessidades emocionais que não estavam sendo atendidas por outras vias.

Vamos mergulhar nas camadas mais profundas do nosso ser e verificar quais são essas necessidades psicológicas e procuremos atendê-las de maneira saudável, sem a necessidade da doença.

Pode ser que você esteja odiando seu emprego, seu casamento ou esteja precisando de atenção de alguém que lhe é muito especial, por exemplo.

Ao descobrirmos essas verdades, poderemos encontrar outros meios menos dolorosos para a satisfação das nossas necessidades emocionais. E quando isso ocorre, a doença não tem mais razão de existir. As palavras "curar" e "cuidar" têm a mesma raiz etimológica. Toda cura pressupõe um cuidado.

12

Enfrentar desafios, perdas, obstáculos é inevitável a todos nós. Faz parte das provas que temos de enfrentar para atingir o nosso crescimento moral e intelectual.

A dor nos humaniza, torna-nos mais humildes e fraternos em relação à dor do próximo e nos ensina a valorizar as coisas essenciais da vida, às quais, na maioria das vezes, só damos valor quando perdemos.

Não raras vezes, é somente no leito de um hospital que aprendemos a valorizar a saúde. Amiúde, somente damos valor à vida na iminência de perdê-la. Quantas vezes constatamos a importância de uma pessoa quando ela se vai de nosso convívio!

Quando você estiver chorando, mas chorando com humildade e com o propósito de aprender a lição que a vida está querendo lhe ensinar, tenha certeza de que suas lágrimas estarão tocando o coração de Jesus, e Ele estará pronto para aliviar seu pranto e indicar o caminho que você deve seguir.

13

Fracasso não significa derrota final. Ele apenas sinaliza que, no momento, não deu certo, por não termos feito tudo o que era preciso fazer para alcançar o êxito esperado. A realização de nossos sonhos foi apenas adiada para o futuro, e não cancelada definitivamente.

O verdadeiro fracasso que alguém pode experimentar é julgar-se fracassado para toda a vida. O malogro é uma experiência passada, não um decreto para o futuro.

Quem fracassou uma vez está muito mais preparado para a vitória do que aquele que nunca tentou. A vitória pertence não àqueles que nunca erraram, mas àqueles que nunca desistiram, apesar dos erros que, certamente, experimentaram.

14

Somos uma poderosa usina de forças atraindo e repelindo vibrações e companhias espirituais de acordo com a qualidade da nossa energia, a qual é determinada pela maneira como agimos, falamos e pensamos. Eu faço a minha energia e esta, como um poderoso ímã, vai ao encontro de tudo o que se lhe assemelha.

Não podemos ficar preocupados com o ladrão, precisamos, sim, trancar as portas para que ele não tenha acesso à nossa casa, principalmente à nossa casa mental. Se conseguirmos erradicar o mal em nós, estaremos cortando os fios que nos ligam às más influências espirituais.

Libertar-se de uma perturbação espiritual implica em cortarmos nossos vínculos com as sombras. As sombras exteriores se ligam pelas sombras interiores.

15

Procure fazer as pequenas coisas de maneira extraordinária. Muitas vezes esperamos que coisas grandes aconteçam em nossa vida para nos comportarmos grandiosamente.

Esperamos um trabalho considerado importante para mostrarmos todos os nossos talentos. Aguardamos encontrar a pessoa ideal dos nossos sonhos para demonstrar todo o nosso amor.

Quem não é grande nas pequenas coisas, sempre permanecerá pequeno diante das grandes coisas.

A espiritualidade nos convida a pensar na estrebaria onde Jesus nasceu. Foi a partir dela que o Mestre mudou a História da Humanidade. Foi a partir dela que Jesus se apresentou aos homens como o caminho, a verdade e a vida. Aceite a sua estrebaria e faça dela o trampolim de acesso às grandes coisas que Deus reservou a você.

16

A maioria dos nossos problemas tem como causa a falta da manifestação do amor, seja na família, no trabalho, com os amigos e, principalmente, com nós mesmos. Jesus diz que amar é um fazer: faça ao seu próximo o que você gostaria que ele fizesse a você.

Nossos gestos concretos de amor podem mudar as pessoas muito mais do que as cobranças que geralmente lhes fazemos. Ao outro não basta saber que o amamos; ele quer sentir que o amamos.

Quando amamos, nosso coração irradia beleza, harmonia e paz, e tais sentimentos são profundamente curativos para o corpo e para a alma, curando quem ama e quem é amado.

17

Amar faz com que nossas células vibrem em perfeita harmonia. E onde a harmonia se faz presente a doença não encontra lugar. Mas o amor só tem sentido quando ele é experienciado, sentido.

A palavra "amor" é neutra, expressa apenas uma ideia. Somente quando se ama é que poderemos saber o amor. Saber tem sentido de saborear, experimentar. Olhar para uma fruta não nos permite conhecer seu sabor. Somente quando a provamos é que sentiremos seu gosto. Por que você não sente o gosto do amor agora mesmo?

Será que não existe alguém esperando um abraço seu? Um telefonema? Não existe alguém precisando da sua palavra amiga? De um simples pedaço de pão que você queira dividir?

Será que você também não será capaz de um gesto de amor por si mesmo? Eu tenho certeza que sim. Ligue para um amigo e peça ajuda para suas dificuldades. Procure amparo espiritual no templo religioso de sua fé. Acerque-se de pessoas de bom astral. Cultive somente ideias positivas a seu respeito.

18

Todos nós ansiamos por melhoras em nossa vida. Seja no campo profissional, nas relações familiares, na saúde ou nas finanças, almejamos algum tipo de melhoria diante dos obstáculos a que nos defrontamos.

Amiúde, porém, creditamos que essa melhoria será obra dos outros. Esperamos que Deus resolva os nossos problemas, que os outros assumam nossas responsabilidades, enquanto isso, ficamos no mar da inércia esperando que nossa vida se modifique.

Deus nos empurra adiante quando nos decidimos a andar.

Deus abre as portas quando tocamos a campainha.

Deus promove a saúde quando adotamos posturas saudáveis.

Deus traz o amor quando amamos.

Deus traz o emprego quando nossos braços estão dispostos a qualquer trabalho.

Deus faz os milagres, mas somos nós quem os provocamos.

19

Quando nos deixamos abater pelas crises, quando perdemos a confiança em nós mesmos e em Deus, deixamos de ser filhos da luz para andar nas trevas, pois perdemos a conexão com a usina divina que nos abastece.

Digamos para nós mesmos: "Eu assumo a minha condição de filho da luz e passo a viver como tal. Minha luz espanta as trevas, minha luz mostra os caminhos que devo percorrer, minha luz é minha força, minha cura e minha libertação." E quem anda como filho da luz não teme a escuridão!

20

A busca da perfeição se confunde com a busca da própria felicidade. Quanto mais virtudes a pessoa adquirir, mais próxima da felicidade ela estará. Distanciar-se do sofrimento implica burilamento de si mesmo.

O diamante é uma pedra preciosa que precisou ser lapidada. Nós também somos pedras preciosas criadas por Deus, e também precisamos lapidar nossos conhecimentos e sentimentos.

Daí por que Jesus pede que busquemos a perfeição, que é o processo de lapidação do ser divino que habita em nós, eliminando as sujeiras do orgulho, removendo os cascalhos do egoísmo e limpando os detritos da mágoa, da inveja e da sensação de ser vítima do mundo. Quanto mais lapidados, mais nos aproximaremos da nossa essência, que é luz da emanação de Deus.

Este é o caminho da felicidade: aprimoramento íntimo, descoberta das riquezas interiores e expansão da nossa luz interior.

21

Deus quer a nossa cura e libertação. Creia nisso com sinceridade. Deus está louco para fazer um milagre em sua vida. Mas para isso Ele precisa que você crie condições para o socorro divino. Por isso, por mais difícil que seja a sua situação, não pare de andar, caminhe adiante realizando tudo o que está ao seu alcance para equacionar as dificuldades de agora.

Que você decrete o fim da queixa e da reclamação, que largue o comodismo e o medo, e se movimente firme e confiante na renovação do seu destino a partir da renovação de si mesmo para o melhor que Deus quer de você. Convença-se de uma coisa: ninguém melhora a vida sem se melhorar primeiramente.

Deus está olhando para você neste momento e observando o que você fará a partir de agora.

22

Não se dê por vencido, o jogo ainda não acabou apesar do placar desfavorável. Esperança é para os tempos de crise, é a força que nos leva até o fim do jogo com a certeza da vitória.

Tem esperança aquele que sabe esperar confiantemente, aquele que sabe que as adversidades de hoje se constituem no esterco que prepara a terra para a farta colheita de amanhã.

Cultivar a esperança é adquirir a certeza de que a tempestade passa, que dentro de mim ainda há um reservatório enorme de forças que me levarão à superação das dores que hoje me sacodem, mas não me destroem. Ter esperança é confiar em Deus quando tudo me parece perdido e nada mais resta a fazer.

Deus adora aparecer nesses momentos. É só você confiar na esperança e continuar trabalhando para que a hora da dificuldade passe mais depressa.

23

O autoconhecimento vai nos colocar em contato com aquilo que temos de melhor. Vai nos fazer recordar que somos pessoas valorosas, isto é, pessoas que têm um valor natural simplesmente porque somos filhos de Deus e, portanto, dotados de todas as capacidades inerentes à nossa filiação divina.

Eu sou uma pessoa capaz, talentosa e inteligente porque Deus me fez assim. Essa é a minha imagem verdadeira. Eu só preciso reconhecer e acreditar nessa verdade, manifestando-a em meus atos, pensamentos e palavras. Não é para os outros que eu preciso provar isso, é para mim mesmo. Eu preciso acordar o gigante que dorme em mim.

24

Cristo é o Governador Espiritual da Terra, e encontra-se aqui desde a formação do planeta, presidindo-o. Não há ninguém com autoridade superior à dele, com exceção de Deus. Cristo é a face do Pai Celestial para os homens. É o Espírito escolhido por Deus para nos servir de guia e modelo.

Ninguém se deve julgar perdido, pois Jesus é a nossa bússola. Ninguém se deve dizer sem conhecimento do que fazer e como agir, pois Jesus é o nosso modelo.

Como Diretor Planetário, Guia e Modelo da humanidade, encargos recebidos das mãos de Deus, Jesus tem poder sobre a Terra, tem poder sobre todos nós. Quem deseja tocar o Cristo precisa fazê-lo com a confiança de que será amparado e conduzido por Sua vontade.

Quando confiamos no poder do Cristo, tocamos o Seu coração. A confiança é poderosa ponte que nos une a Jesus. O poder do Mestre é exercido pelo amor e, quando nos entregamos ao amor, Jesus opera maravilhas em nós!

ALGUÉM ME TOCOU

25

Muitas doenças poderiam ser evitadas se o homem cultivasse o hábito da oração. O mesmo tempo que se emprega para a queixa e a maledicência poderia ser dedicado ao contato com o Pai que nos ama, mas que, invariavelmente, encontra-nos com os ouvidos voltados para os desequilíbrios do mundo.

Quando se ora, muda-se a frequência energética para melhor, pois nos sintonizamos com as ondas do equilíbrio cósmico, sem as quais homem algum poderá gozar de saúde plena.

A oração é um banho de luz. Da mesma forma que cuidamos da higiene do corpo, sem a qual a saúde não se estabelece, a oração é uma ducha espiritual que nos lava dos detritos acumulados pelo entrechoque das tensões do dia a dia. A oração é, ao lado da caridade, o fio que nos liga ao Amor Divino pelas palavras que brotam do nosso coração.

26

Há um princípio na vida que denomino de "uma coisa leva à outra". Já reparou que coisas boas costumam acontecer a quem está atravessando a maré alta e que problemas geralmente visitam quem está na maré baixa?

Se estiver doente, pense nas coisas boas que você fará quando recuperar a saúde. Se estiver desempregado, pense em você trabalhando alegremente. Se os negócios não andam bem, pense na prosperidade que lhe advirá logo mais.

E não somente pense bem. Faça algum bem a você mesmo. Um pequeno agrado, uma palavra de estímulo, a lembrança de todas as suas conquistas, a recordação de todos os obstáculos que você superou, a gratidão por suas vitórias.

27

Os problemas que nos atingem estão apenas querendo quebrar as ilusões deturpadas que fizemos a nosso respeito, sobretudo a ilusão de que somos fracos, incompetentes, doentes e sem merecimento para uma vida de realizações positivas. Quando solucionamos uma dificuldade, mostramos a nós mesmos que somos maiores do que julgávamos ser.

O homem tende a agir de acordo com a imagem que faz de si mesmo.

Olhe-se como aquele explorador que penetra o garimpo em busca das pedras preciosas da sua alma.

Façamos isso diariamente, de preferência antes de iniciarmos as nossas atividades, como se estivéssemos tomando o nosso café da manhã. Estaremos alimentando nossa alma com nutrientes poderosos capazes de afastar o sentimento de inferioridade que afeta a maioria das pessoas.

28

A renovação que tanto almejamos em nossa vida só vai acontecer quando nós largarmos todas as coisas imprestáveis que ainda estamos segurando. Se não largarmos as coisas já mortas, a vida nova não terá como se estabelecer em nós.

Oremos a Deus pedindo auxílio para este trabalho de renovação de nossa vida. Deus nos prestará todo o socorro necessário, mas é preciso nos conscientizarmos de que a solução exige empunharmos a vassoura para varrer vigorosamente todo o mal que está em nossa vida.

29

Não raro, a sensação de culpa tem nos afastado da felicidade e criado muito sofrimento em nossa vida. Os erros que cometemos, quando não vistos com as lentes do amor, da humildade e do perdão, podem nos dar a sensação de que somos criaturas horrendas e abomináveis, dignas apenas de castigos e dores.

Vamos nos enxergar como Deus nos vê. Ele sabe que nós não somos os nossos erros. Posso ter me equivocado muitas vezes, cometido os maiores deslizes do mundo, mas Deus continua me vendo como um diamante de grande valor, ainda que momentaneamente encoberto pela lama dos meus erros.

30

A felicidade produz um aroma tão espetacular que atrai todas as coisas boas em seu caminho. A doença se estabelece quando não estamos sendo capazes de sentir felicidade em nossa vida.

Onde, pois, encontrar a felicidade? Ela não está fora de você, não é um carro, uma casa, um emprego, uma pessoa. A felicidade é o produto de um estado de consciência que brota da satisfação de nos sentirmos realizados perante a vida.

O homem se realiza quando ele emprega com sabedoria todos os potenciais de sua alma, fazendo aquilo que está de acordo com a sua natureza. Em palavras muito simples e resumidas, o ser humano é feliz quando ele coloca alegria em tudo aquilo que faz. E a alegria é um dos melhores tônicos para a saúde.

31

Até quando você quer continuar sofrendo? Até quando vai continuar se ferindo com hábitos nocivos? Até quando vai se intoxicar com tantos sentimentos negativos? Até quando irá permitir que a raiva lhe devore por dentro?

Curar é limpar toda essa carga mórbida que se acumulou em seu corpo físico. E somente o amor é capaz de fazer essa drenagem nas camadas mais íntimas do nosso ser, pois o amor é harmonia, é pureza, é vida gerando a vida.

Escolha o amor no lugar do mal, e isso quer dizer que você estará escolhendo a saúde no lugar da doença, porque decidiu mudar seu comportamento.

Com o perdão você se limpa de mágoas e culpas e se livra de vibrações energéticas prejudiciais à sua saúde. Com a fé você aglutina forças divinas capazes de alavancar a cura das doenças mais atrozes. Com o amor você mergulha em um estado de êxtase tão profundo que doença alguma é capaz de resistir. O amor restaura, revigora, alegra, anima e fortifica.

32

Quando vivemos acomodados nos recusando a crescer ou quando agimos em desacordo com um padrão de comportamento que já sabemos ser o melhor para nós, surge a estagnação, uma espécie de trombose no fluxo energético da vida, capaz de gerar problemas de toda ordem.

O problema é um sintoma da estagnação e que nos chama a atenção para a necessidade de desobstruirmos as artérias da nossa existência através de uma nova maneira de proceder. Problemas são pressões que a Lei de Evolução realiza para que o homem se aperfeiçoe, transformando algo dentro de si mesmo.

33

O mundo nos oferece muitos caminhos e atalhos perigosos, porque são vias onde a felicidade se insinua no começo, mas não se apresenta no fim da jornada. São caminhos fáceis, pois basta a satisfação do nosso orgulho e egoísmo em detrimento da felicidade dos outros. Mas a facilidade de caminhar nesta estrada se contrasta com o sofrimento que nos causará ao longo do percurso.

O Guia Jesus, no entanto, nos fala da estrada do amor, que leva à felicidade. É uma estrada mais difícil, pois, muitas vezes, o amor implica renúncias e sacrifícios, atitudes que hoje estão fora de moda, porque todo mundo quer ser feliz a qualquer preço, mesmo que este preço seja a desgraça do próximo.

Esta estrada pede que se ande com humildade, porque o orgulho impede a presença do amor. É a estrada que exalta o perdão no lugar da vingança, que cultua a paz em prejuízo da guerra. É o caminho onde ninguém é feliz sozinho, pois a suprema felicidade é ser feliz com gente também feliz ao seu lado.

34

Quantas vezes barganhamos com Deus um determinado benefício com a promessa de que, uma vez alcançada a graça, vamos nos tornar pessoas boas, caridosas e sem vícios? Não seria o caso de invertermos esse processo, tornando-nos, desde já, pessoas boas, caridosas e sem vícios? Pois é a partir dessa mudança de atitude que os nossos problemas começam a ser resolvidos.

Quando mudamos a nossa atitude para melhor, mudamos a nossa energia para melhor, e, a partir daí, tudo começa a melhorar em nossa vida. Portanto, somos nós que desencadeamos o processo de criação de uma vida melhor, através de um conjunto de atitudes melhores.

Não é mais possível conceber que simples promessas, orações ou rituais irão melhorar a nossa vida, sem que melhoremos o padrão das nossas atitudes.

35

Nosso verdadeiro DNA é de origem divina. Como ouvi certa feita do Padre Léo, o significado espiritual da expressão DNA quer dizer: *Deus é Nosso Autor.* Que imagem bela e verdadeira. Deus é o nosso autor, Deus é o pintor e nós somos o quadro. Portanto, como tudo aquilo que Deus faz é bom, eu também sou bom, sou a obra-prima do artista chamado Deus. Mas não sou a obra pronta.

O alicerce Deus colocou, agora o próprio homem deve se preencher do concreto divino para edificar a casa da felicidade por meio da vivência das virtudes espirituais que ele vem conhecendo através dos tempos.

E é exatamente onde falta esse concreto que aparece a área dos nossos pontos fracos.

36

O desânimo é perigosa erva daninha capaz de destruir a plantação de seus mais lindos sonhos. As dificuldades fazem parte do chamado "kit" sucesso.

Vamos nos convencer de que tudo o que desejamos ainda não está pronto, e, em assim sendo, razoável pensar que nada virá sem esforço, perseverança e ação. Se você almeja qualquer realização, saiba que barreiras fazem parte da corrida denominada "felicidade".

Entregar-se ao desânimo diante dos obstáculos é abrir mão de seus sonhos, é jogar na lata do lixo as suas metas, é começar a morrer antes da hora.

Repare que seu pior momento na vida pode ser tanto o ensejo de você abandonar seus projetos, quanto pode ser o melhor instante de você reverter a situação armando-se de paciência, motivação e melhor qualificação. O instante é o mesmo para quem se rende ao fracasso ou para quem recupera o ânimo para a vitória.

37

O ressentimento é um grande obstáculo à nossa paz, saúde, e prosperidade. A cura do ressentimento é o perdão. É abrir mão do nosso orgulho ferido e ficar com a nossa alma livre e em paz.

A humildade é a mais forte aliada do perdão, pois ela nos ajuda a relativizar as coisas, a não dar a elas a importância exagerada que geralmente lhes damos, e nem dar a nós a importância extrema que muitas vezes nos atribuímos.

Precisamos diminuir o tamanho das ofensas, das contrariedades. Tudo fica muito pequeno quando pensamos que estamos aqui na Terra em viagem passageira e que, a qualquer hora, poderemos partir.

38

Um dos nossos maiores problemas espirituais é a falta de fé em nós e em Deus. Se duvidarmos de nós, a insegurança nos dominará e ninguém acreditará em nossas capacidades.

A insegurança é como um cupim que vai aos poucos nos devorando, silenciosamente, por dentro e, na hora em que temos que demonstrar nossas capacidades e talentos, acabamos falhando, porque nunca tivemos a verdadeira fé em nós. Temos que acreditar em nós mesmos, porque, se não fizermos isso, ninguém o fará por nós.

39

Para coisas novas, novas ideias, novos comportamentos, novas atitudes, enfim, um novo modo de ser. Como afirmou o Mestre, numa síntese perfeita, "vinho novo é posto em vasilhas novas". Quase todos nós, porém, queremos vinho novo, mas ainda utilizando vasilhas velhas. Pretendemos uma vida nova, mas não abandonamos as coisas velhas que estão empoeiradas dentro de nós.

Quantos almejam uma vida mais feliz, contudo, vivem se contaminando pelas recordações tristes do passado, que teimam em não deixar para trás, e com isso impedem a felicidade de se aproximar!

Querem que Jesus lhes traga felicidade, mas não escutam o Mestre, que tanto exaltou o perdão como condição para ser feliz. O Amor é a nova coleção da nossa vida. Vamos nos vestir de coragem, alegria, bom ânimo, perdão, confiança e perseverança. E, somente assim, com novas roupas, a vida se renovará para nós.

40

No momento em que desprezamos a fraternidade, plantamos muitos dos espinhos que hoje surgem em nossa vida em forma de problemas dos mais variados. A fraternidade não é apenas um lembrete que Jesus deixou. É uma Lei Espiritual que rege a nossa vida, pois visa a estabelecer o equilíbrio das relações humanas.

Quando deixamos de ser fraternos, isto é, deixamos de tratar o Próximo como nosso irmão, estamos mergulhando em zonas de desequilíbrio, e os problemas que fatalmente surgirão em nossa vida funcionam como mecanismos de alerta para que regressemos o quanto antes ao caminho da fraternidade.

E, neste caminho, o exercício do perdão, da tolerância e da caridade são práticas de amparo a nós mesmos.

41

Quando nos defrontamos com os nossos erros, limitações e fracassos, nós tendemos a rebaixar os níveis de nossa autoestima, com graves prejuízos para nossa vida.

O cultivo do desprezo por si mesmo pode ser comparado a esses vírus que atacam nossos computadores desconfigurando o sistema operacional. É como se perdêssemos o foco de nossa imagem verdadeira, que é a do filho de Deus, criado à imagem e semelhança do Pai, e passássemos a nos enxergar como uma pessoa incapaz, medíocre, sem nenhum valor, enfim, muito diferente de como Deus nos criou.

Pare de falar mal de si mesmo. Pare de se criticar. Agindo assim você somente atrairá maiores problemas em seu caminho. Saia dessa negatividade o quanto antes. Faça algo de bom por si mesmo, e isso pode ocorrer agora mesmo, por meio de um olhar de bondade e de uma palavra de estímulo para você. É assim que Deus lida com você. Não olhe tanto para sua sombra, mire em direção à luz.

42

A lamentação é a fixação no ponto infeliz de um determinado problema. Se me prendo a este ponto, não verificando outros pontos positivos e outras possibilidades de êxito, minha mente se fecha na negatividade, e por consequência, passará a atrair tudo o que for negativo também.

Não focalize o fracasso, a dor e a dificuldade. Apenas aprenda com as situações à sua volta, e faça o que precisa ser feito para sair daquela situação.

Lamentar é adiar o dia da melhora. Troque a queixa pelo aprendizado da experiência. Em qualquer problema, sempre há uma porta aberta do lado que nós menos esperamos.

A lamentação, porém, sempre coloca a nossa visão em direção à porta fechada. Lamentar é investir no fracasso e se afastar de suas possibilidades de vitória. Vamos estancar as lágrimas?

43

A palavra que exalta o mal contamina nós mesmos, produzindo o mal em nossos passos. Quando falo mal de alguém ou de uma situação qualquer, eu entro em contato com aquela energia negativa e acabo me contaminando por ela. Da mesma forma, quando falo bem de alguém, quando exalto as qualidades boas de uma situação, eu também me coloco em contato com aquela energia boa e por ela sou envolvido.

O mundo se torna bom para quem fala bem do mundo. Quando dizemos, com fé, que o mundo é bom, automaticamente, a vida se abre em bondade para nós. E não nos esqueçamos de que, sendo o mundo criação de Deus, tudo aqui é muito bom! É só uma questão de direcionar nosso olhar.

44

A Justiça Divina tem várias maneiras de promover o restabelecimento da harmonia, diante das situações em que nosso orgulho falou mais alto do que o amor. Tudo depende de nossa predisposição em admitir nosso equívoco e corrigi-lo tão logo possível.

Dor, sofrimento e culpa são expedientes desnecessários quando o amor toma conta de nossas atitudes e faz com que o mal de ontem se dissolva no bem de agora.

Perdão, tolerância, amor e caridade não são apenas virtudes inertes no caminho daquele que aspira à ascensão espiritual, são, antes de tudo, verdadeiros advogados de nossas causas perdidas perante os tribunais do além, impedindo que o martelo de nosso carma caia inteiramente sobre nós.

Isso é misericórdia.

45

O medo é um fator prejudicial ao nosso equilíbrio psíquico, em nada cooperando para a recuperação da saúde, quando não agravando as enfermidades.

Precisamos adoecer para tornar ao equilíbrio e valorizar a saúde e a própria existência. As enfermidades são mensageiras da vida a serviço da própria vida, têm a missão de restaurar nosso equilíbrio para evitar exatamente a morte. Se você não adoecesse, jamais perceberia os próprios desequilíbrios e não teria meios de corrigi-los.

Jamais pense que a enfermidade seja a porta-voz da morte, retire, com firmeza, essa ideia da mente, como quem não admite comida envenenada em seu prato. A doença tem por objetivo trazê-lo de volta ao equilíbrio e, a menos que você não queira se desapegar dos seus desequilíbrios, a cura é perfeitamente possível em qualquer tipo de doença.

Não existe no dicionário de Deus a palavra "incurável".

46

Jesus ensina que a vela não pode ficar debaixo do cesto, ela tem de ser colocada no velador para iluminar a todos os que estão na casa. Nossa luz interior pode estar debaixo do cesto do complexo de inferioridade, do cesto repleto de crenças negativas sobre nossos talentos e capacidades.

Tire sua luz desse cesto e a ponha bem alto, deixe-a resplandecer diante dos homens como ensina Jesus. O mundo precisa da sua luz, precisa de você, e somente seremos felizes quando a nossa luz estiver brilhando, vale dizer, quando estivermos movimentando nossas forças na realização dos talentos que Deus concedeu a cada um de nós.

Não deixe que a dor e o sofrimento apaguem sua luz. Saiba, antes, que é a sua luz brilhando quem vai tirá-lo do sofrimento.

47

Não permita que uma pessoa idosa habite seu corpo, pois isso é um passaporte para o mundo das enfermidades. Desperte a criança que ainda vive em você, deixe que ela lhe traga mais alegria, espontaneidade, curiosidade, espírito de aventura, criatividade, divertimento e pureza. Aí está um verdadeiro laboratório de remédios poderosos para curar qualquer doença.

Jesus falou que somente entrarão no Reino dos Céus os que se assemelhem às crianças. E poderíamos complementar que somente entrarão no reino da saúde os que viverem a felicidade de uma criança.

48

Ninguém vive dignamente sem se sentir amado. A carência afetiva está na raiz da maioria de nossas doenças e problemas de relacionamento em geral.

Temos uma necessidade imperiosa de sermos aceitos e amados, porém, nem sempre as pessoas estão prontas para isso, pois elas também precisam ser aceitas e amadas. No fundo, cada um está esperando receber amor e, enquanto não recebe, também não se sente estimulado a amar.

O que não percebemos, contudo, é que já somos amados por Jesus. Aqui reside a solução para nossos grandes problemas: sentirmos que somos amados pelo ser mais evoluído que Deus mandou ao Planeta.

Ninguém mais reclame de carência afetiva, pois é amado por Jesus!

Ninguém mais alegue solidão, porque tem a companhia de Jesus!

Ninguém mais se diga perdido, pois encontrou a direção de Jesus!

49

As células do nosso organismo se alimentam do mesmo teor dos nossos pensamentos. Tudo o que se passa na mente se passa no corpo. Você não é apenas o que come, é também o que pensa.

Basta constatar como as lembranças tristes e amargas nos trazem sensações físicas desagradáveis. O corpo sente o que a mente pensa constantemente. Selecione seus pensamentos tanto quanto você seleciona os alimentos que leva à boca. Os bons pensamentos geram boas sensações corporais, e isto quer dizer que o corpo aprovou nosso modo de pensar.

Procure pensar naquilo que você deseja que aconteça em seu caminho. Se quiser se curar, pense na saúde e não na enfermidade. Um bom olhar, aquele capaz de trazer luz ao corpo significa um olhar de positividade, de fé, de alegria, de total confiança de que o bem em nossa mente faz entrar o bem em nossa vida.

50

Diz a canção, anualmente, tocada por uma conhecida emissora de televisão: "Hoje a festa é sua, hoje a festa é nossa, é de quem quiser, quem vier..."

Hoje é a festa, não amanhã, não no ano que vem, não depois que a morte chegar. A festa está ocorrendo agora em sua casa, em seu trabalho, em sua rua, em sua escola, em sua comunidade.

Você está aproveitando? Você está conversando animadamente com as pessoas, está curtindo a música, está fazendo novas amizades, está aprendendo novos conhecimentos?

Você está feliz e alegre, como se costuma estar em uma festa? Está fazendo os convidados felizes?

Não espere a festa acabar para começar a viver.

51

A despeito de todos os fracassos que possamos ter experimentado, nós não perdemos o nosso valor. Precisamos resgatar urgentemente essa ideia em nossa vida, porque ninguém chegará à vitória alimentando pensamentos de derrota.

É possível que tenhamos experimentado algum tipo de fracasso em nossa vida, o que é muito natural, porque não somos espíritos prontos e acabados, estamos em fase de crescimento e aprendizado.

Quem se acomoda na ideia de fracasso ou derrota, provavelmente, se imagina imune a qualquer tipo de equívoco ou inabilidade. Não deixa de ser uma faceta de orgulho ferido diante da constatação de que não temos o tamanho que imaginávamos ter.

E orgulho se cura com humildade - humildade para reconhecer nossos limites e tentar superá-los com o esforço constante. Humildade para reconhecer que não é errado errar, mas que não nos convém permanecer no erro, tampouco desistir de continuar tentando até acertar, aprimorando-nos na experiência.

SOCORRO E SOLUÇÃO

52

Aprendemos com todos os mestres espirituais da humanidade que as palavras criam nosso destino e, portanto, criam também a nossa saúde ou doença. A palavra, quando repetida com sentimento, cria um campo magnético poderoso capaz de atrair a ideia expressada.

Palavras são como sementes; existem as positivas e as negativas. Nós escolhemos quais delas alimentar.

Todo o processo de cura se estabelece na mente, passa pela boca e se completa no coração.

É verdade que toda cura começa na mente, mas passa também pelo que sai da nossa boca. Por isso fale somente o bem, tenha boas palavras para consigo mesmo, para com o próximo e para com médicos, enfermeiros, familiares e amigos, pois assim estará educando o seu corpo com a sabedoria das suas palavras.

53

Quem cuida muito da vida alheia está cuidando pouco da sua, o que é lamentável, porque há tanto trabalho interior a se realizar na busca do nosso aperfeiçoamento, que não nos sobraria tempo para vigiar a conduta do próximo.

E quem não cuida de si mesmo jamais conseguirá ter progresso na vida, pois seu mundo íntimo, onde todos os projetos de vida se iniciam e se sustentam, está repleto de traças e ervas daninhas.

Quem muito condena, provavelmente, carrega dentro de si algo de muito condenável. Se a vida está sendo muito dura conosco, pode ser que nós estejamos sendo muito duros com os nossos semelhantes.

Seria bom termos coragem suficiente para enxergar a nossa podridão! Estou certo de que esta atitude interior, que demanda muita humildade, faria com que jogássemos fora todas as nossas pedras. Porque, se estivermos com elas na mão, dificilmente conseguiremos tocar o coração de Jesus.

54

Quando uma pessoa transgride uma lei terrena, ela sofre sanções que vão de multas, indenizações até a privação da própria liberdade. Da mesma forma, quando não observamos as Leis Divinas, sofremos o embargo de problemas que somente desaparecerão quando nos harmonizarmos com a Justiça Cósmica, pelas vias do amor e da caridade.

Como conhecer, então, essas Leis, já que são tão importantes para nós?

Teríamos que ler todos os textos sagrados para descobri-las? Paulo, o Apóstolo, nos apresenta um caminho mais fácil: "Pois toda a Lei é cumprida em uma palavra, a saber: *Amarás o teu próximo como a ti mesmo.*"

Vamos pensar nisso: o cumprimento de toda a Lei se resume em um único mandamento: Ame! Ame a si mesmo, ame ao seu próximo, ame a Deus.

55

No lugar da cara tensa e preocupada, coloquemos o sorriso para removermos as pedras de nosso caminho. A tensão pode fazer com que a pedra vire montanha. O sorriso tem o dom de tornar a pedra em grão de areia.

O sorriso nos permite enxergar a estrada que surgirá depois de removida a pedra. A face preocupada não consegue ver o que está além da pedra. O sorriso nos desloca para a solução da dificuldade, enquanto a preocupação nos prende a ela.

O sorriso produz relaxamento interior, aquela certeza de que você está seguro e em condições de superar quaisquer adversidades. Já a preocupação gera tensão e insegurança, pois você teme não ter forças suficientes para remover os obstáculos.

Utilizamos apenas dezessete músculos para sorrir e quarenta e três para franzir a sobrancelha. Enfrentemos as pedras da vida com um sorriso e isso exigirá muito menos esforço.

56

Pense sempre: nenhuma transformação positiva surge em nossa vida sem que estejamos dispostos a pagar o preço da nossa libertação. Esse preço implicará em mudança de comportamentos, deixar o convívio de certas pessoas, parar de frequentar determinados lugares, abdicar de hábitos que nos prejudicam, enfrentar nossos medos, esforço para superar nossas limitações, etc.

Toda mudança gera desconforto. Não acredite em milagre sem trabalho. Não acredite em melhora sem movimento. Um ditado popular afirma: "Para grandes males, grandes remédios". Isso quer dizer, para grandes problemas, grandes transformações.

57

Ninguém espere recolher o bem em sua vida sem plantar as sementes do bem, e fazemos isso através de um conjunto de atitudes composto por palavras, pensamentos, sentimentos e ações. Quem quer recolher o bem precisa falar no bem, pensar no bem, sentir no bem e agir no bem.

Carecemos de analisar quais sementes estamos plantando em nosso caminho porque elas inevitavelmente irão crescer ao redor de nossos passos. Essa lei espiritual já havia sido anunciada por Paulo, o Apóstolo: "O que uma pessoa plantar é isso mesmo que colherá".

58

Crie cada vez mais paisagens mentais alegres, otimistas, saudáveis. Na mente pessimista está a maioria das nossas doenças. A mente pode ser comparada a uma casa. A doença e a saúde são como duas pessoas que gostariam de morar com você e que têm gostos muito diferentes. Ao contrário da saúde, a doença não aprecia casa limpa, arejada, enfeitada de amor e paz.

Existe grande diferença entre ser doente e estar doente. Cuidado com isso. Quem se julga um doente define a própria natureza, algo permanente e, portanto, com reduzidas chances de mudar. Mas, quem está doente revela uma condição momentânea, passageira. Quem é permanece. Quem está deixará essa condição a qualquer momento. Jamais pense ou diga "eu sou doente". Diga apenas "eu estou doente".

O ambiente que criamos em nossa mente definirá nossas chances de cura ou manutenção da enfermidade. Vamos arejar nossa mente com otimismo, boas conversas, boas companhias, leituras edificantes, música agradável, ideias fraternais e muito bom humor, pois com isso a saúde residirá conosco.

59

Quando mergulhamos nas faixas do egoísmo, com todas as suas derivações de orgulho, vaidade, inveja e arrogância, nós perdemos, provisoriamente, a conexão com nossa essência divina, amorosa e boa, mantenedora da saúde física.

Na busca da cura, precisamos restabelecer essa conexão de amor à vida, a nós mesmos e ao nosso próximo. Em que trecho do caminho nós perdemos essa ligação com o nosso ser divino? Em que momento nós nos tornamos arrogantes, impacientes, invejosos, melindrosos, violentos, inseguros, carentes?

Recuperar a saúde é recuperar o amor em nós. E quando isso acontece não há espaço para o medo, a raiva, o orgulho e a inveja, causas primárias de quase todas as doenças em nossa vida.

60

Nossa mente é como uma xícara. Quando estamos doentes é quase certo que a xícara esteja cheia, e cheia de líquido envenenado. Se você deseja a cura, convença-se de que, primeiramente, precisa esvaziar sua xícara para que um novo conteúdo saudável possa ser derramado.

Muitos enfermos vão aos santuários da fé em busca da cura, mas suas xícaras estão cheias de rancor, impaciência, preconceitos, desamor por si mesmos e animosidade em relação ao próximo. Será que há espaço em nossa mente para que o Poder Supremo entre e realize seus milagres?

Afastaremos a negatividade de nossa mente com pensamentos de paz, serenidade, alegria e amor. Não espere ter saúde para agir assim. Faça assim para ter saúde. Aquietemos nossa mente agitada com a oração, com a contemplação da natureza, com o silêncio interior.

Abra, então, sua mente para receber a presença de Deus. Mas, para isso você precisa esvaziar a xícara. Do que ela está cheia?

61

Não é ontem nem amanhã. É hoje a possibilidade, a única possibilidade, porque passado e futuro não existem concretamente. E ninguém tem qualquer garantia que estará encarnado neste planeta amanhã para fazer aquilo que deveria fazer hoje.

Eu não diria que há muito desperdício de tempo, digo que há muito desperdício de vida. São amores postergados, sonhos adiados, talentos enterrados, sentimentos ignorados.

A vida passando agora bem defronte aos nossos olhos e quase todos nós esperando alguma coisa que ainda irá acontecer, quando a vida está acontecendo exatamente agora, e amanhã talvez não estejamos mais aqui para senti-la.

62

Quando temos um problema financeiro ou um gasto qualquer, sacamos da conta corrente o dinheiro necessário para fazer suprir nossas necessidades. E para as nossas carências espirituais, de onde tiramos os recursos? Da conta aberta no banco do Céu. Mas o quanto temos investido nela?

Na conta celestial se depositam perdão, caridade, amor, benevolência para com o próximo, sorrisos, abraços, alegria, amizade e tantas outras "moedas" que tornam a vida mais feliz, não apenas a nossa, mas também a vida daqueles que, de alguma forma, cruzam o nosso caminho.

Invariavelmente, porém, nossa conta celestial está zerada por falta de investimentos, e nada teremos para sacar na hora em que alguma crise nos surpreender.

A nossa vida passa a ter valor quando vivemos de tal forma que a vida não é só boa para nós, mas também boa e agradável para os outros.

63

Muitos não vivem em paz porque estão em um movimento exagerado, apressado, estressante. Não vivem a recomendação de Jesus:

Não fiquem preocupados com o dia de amanhã, pois o dia de amanhã trará as suas próprias preocupações. Para cada dia bastam as suas próprias dificuldades.

Quanta paz nós sentiríamos se nos ocupássemos, de corpo e alma, com as tarefas de cada dia. Estaríamos tão compenetrados com as experiências de cada minuto que não teríamos tempo para as inúteis preocupações com o amanhã.

Evitaríamos muitos distúrbios de ansiedade, pânico e fobias com essa orientação de Jesus, desse mesmo Jesus de quem não ouvimos as lições, mas à frente de quem estaremos ajoelhados amanhã, pedindo que nos dê um pouco de paz no coração.

64

O amor é o sentimento que nos liga a tudo e a todos, e somente a partir de sua prática é que nossa vida se torna feliz. O amor é o melhor de nós. É por meio dele que nos tornamos uma pessoa cativante, dócil, carinhosa, gentil, alegre, corajosa e disposta a ser útil a quem precise. Tais virtudes têm um impacto incrivelmente positivo em nossa vida, pois isso é o que as pessoas mais esperam de nós.

Nenhum bem material será capaz de despertar tantas coisas boas nas pessoas como o amor que formos capazes de oferecer a elas. Somente o amor é a ponte que nos une a Deus, ao próximo e a nós mesmos. Sem amor, vivemos distante de Deus, distante do nosso semelhante e, pior do que isso, distante de nós mesmos. A falta de amor é um corte nessa ligação divina com tudo e com todos.

65

Mágoas, ódios, culpas, ressentimentos e traumas precisam ser excluídos de uma vez por todas dos nossos painéis psíquicos, pois, do contrário, convertem-se em verdadeiros fantasmas que nos assombram e impedem nosso ingresso no reino da felicidade, cujas portas se abrem com as chaves do perdão e do amor.

Viver com estes estados negativos da alma é negar o amor a si mesmo, e, assim, passaremos a viver num inferno que nós mesmos criamos. Acomodar-se nas experiências infelizes do passado gera estagnação e dor, porquanto somente a vida desfrutada no aqui e agora é capaz de nos propiciar uma vida feliz e saudável.

Precisamos aprender a "nascer de novo" a cada dia, deixando para trás o que nos machucou e construindo no novo dia experiências felizes, como se a nossa vida estivesse nascendo naquele momento e nos fosse possível começar tudo de novo.

66

No momento em que você foi criado, Deus sorria e pensava amorosamente somente em você.

Cada um de nós é uma obra rara, inigualável, porque somos diferentes uns dos outros. Você não é igual a ninguém e ninguém igual a você.

Por isso você é muito especial. E somente Deus poderia criar dessa maneira tão especial, criativa, amorosa.

Quando Deus cria, Deus ama, e, quando Deus ama, só algo de muito extraordinário pode acontecer.

67

Quem cede espaço à tristeza manda embora a alegria.

Diga firme para você: a partir de hoje eu vou escrever uma história bonita em minha vida. Cansei de sofrer, cansei de ficar reclamando do que não deu certo e deixando de fazer algo para dar certo.

Hoje é o dia da minha independência espiritual, é o dia em que eu assumo o controle da minha vida, é o dia em que eu deixo de ser aquele coitado ou coitada e vou tomar as rédeas da situação, antes que os outros passem a comandar a minha vida. E, se eu fizer isso, não tenho qualquer medo do futuro, porque sei que o futuro é a somatória de tudo aquilo que eu vou plantar em minha vida a partir de hoje.

68

Enquanto a nossa atenção se fixar exclusivamente nos interesses terrenos; enquanto nossa alma não se alimentar das coisas espirituais, nosso Espírito se enfraquecerá; o vazio interior nos dominará; as coisas terrenas já não serão capazes de preencher nossa sede de felicidade; a depressão nos atingirá cada vez mais; os ansiolíticos continuarão a ser os remédios mais vendidos no mundo e as taxas de suicídio subirão vertiginosamente.

Você poderá deixar um grande patrimônio material para seus herdeiros, mas, se não plantou amor e carinho no coração deles, provavelmente eles se esquecerão de você tão logo a herança seja repartida. Por isso, não deixe que as preocupações materiais matem as relações afetivas que podemos construir junto àqueles que cruzam a nossa vida.

Bens materiais não alimentam o Espírito de ninguém!

69

O mal pode nos procurar pela porta de nossos ouvidos: a calúnia, a notícia distorcida, o preconceito, o destaque aos aspectos negativos de pessoas e fatos, o pessimismo, a exaltação da vingança, o comentário irônico, a exploração das tragédias, e tantas outras formas que nos perturbam a tranquilidade íntima. Muitas doenças físicas nascem a partir do que entrou, francamente, em nossos ouvidos.

O mal sempre nos faz mal. Um segundo de invigilância pode nos custar dias de perturbação.

Inevitavelmente, chegarão até nós pessoas perturbadas, notícias alarmantes, casos sensacionalistas, falsos comentários, calúnias. Mantenhamos nossos ouvidos cerrados a fim de que o mal não encontre a porta aberta e resolva ficar conosco. Só o bem nos faz bem.

70

O corpo sem atividade enfraquece, a mente sem treino não se expande, e a alma sem trabalho não cresce.

Muitos problemas da nossa vida surgem da alma enfraquecida por falta de atividade. Assim como o corpo se desenvolve com exercícios físicos, o espírito também precisa se exercitar em seu aspecto transcendental.

O homem se preocupa com os tesouros da Terra, todos passageiros, mas não cuida dos tesouros espirituais que são os tesouros eternos e de benefícios duradouros. Por isso há tanta depressão, tanta queixa de vazio existencial nos consultórios psiquiátricos, sobretudo de pessoas que não têm maiores problemas materiais pendentes.

Ah, como o trabalho de amor ao próximo poderia curar essas almas enfraquecidas!

71

Quando nos tornamos espíritos endurecidos ou demasiadamente apáticos, fechados a qualquer possibilidade de renovação, as Leis Divinas fazem tremer o nosso chão, a fim de que possamos sair do terreno perigoso onde nos encontramos, buscando a terra firme do nosso progresso espiritual que havíamos abandonado.

Deus não quer nos destruir quando surgem os empecilhos; Ele apenas almeja nos levar a uma situação mais benéfica do que aquela que estamos vivendo. Portanto, na hora em que os problemas fizerem a terra de nossa vida tremer, vamos usar da calma que nasce da confiança de que estamos sendo resgatados pelo amor de Deus a um modo de vida mais feliz. O verdadeiro problema não é o terremoto, mas o lugar perigoso onde nos encontrávamos antes dele.

A calma não é uma virtude que vem de fora para dentro. Ela é construída dentro de nós, a partir da constatação de que, em qualquer circunstância, as Leis Divinas estão agindo em nosso benefício.

SOCORRO E SOLUÇÃO

72

Ponha alegria, ânimo e encantamento em tudo o que fizer, que assim a vida melhora para nós a partir da melhora de nós mesmos. A orientação espiritual sugere-nos que expulsemos a tristeza; ora, isso eu só conseguirei fazer se colocar a alegria no lugar da tristeza.

Vou expulsar o desânimo com a vassoura do ânimo. Vou expulsar o vinagre do desencanto com o vinho do encantamento.

Vou fazer tudo isso porque é isso que me dá forças para vencer os obstáculos do caminho. Se o obstáculo é grande, eu preciso dar um salto grande; tenho, então, que ter muita força nas pernas para saltar.

Com ânimo, eu sou forte, com alegria, eu me estimulo positivamente e, com encantamento pela vida, eu me robusteço com a força de um leão.

73

Não seria exagero afirmar que a falta de perdão está na raiz de quase todos os problemas. Quando o perdão se ausenta, um nó bem apertado surge em nossa vida, um nó que impede a circulação das energias essenciais ao nosso desenvolvimento material, emocional e espiritual.

Perdoar é desfazer o nó que está impedindo nossa vida de florescer. Sentimentos como ódio, rancor, revolta, mágoa e raiva são como barreiras que impedem a circulação da energia divina em nossa vida. Quem prefere respirar no clima da eterna discórdia não é capaz de captar as vibrações que fluem da mente de Deus.

Quem se recusa a perdoar vibra em frequência oposta à Mente Divina, portanto, não consegue sintonizar as bênçãos espirituais, dando ensejo ao surgimento de variados problemas físicos, emocionais e espirituais, que a prática do perdão teria evitado.

SOCORRO E SOLUÇÃO

74

Jesus, com toda a sua grandeza espiritual, não se omitiu de lavar os pés de seus discípulos, dizendo que nós também precisávamos aprender a lavar os pés uns dos outros.

Eu lhe proponho que, neste instante, você deixe Jesus, mais uma vez, ajoelhar-se diante de você para lavar os seus pés. Vamos, veja o Espírito Sublime do Nazareno tirando a poeira dos seus sapatos, retirando a sua meia suada, lavando seus pés que trilharam tantas sendas equivocadas, e depois enxugando-os com uma toalha de algodão macia.

Este é o nosso Mestre, a quem queremos tocar. Ele se ajoelhou diante de nós para nos servir. E espera que façamos o mesmo diante dos homens, se, de fato, pretendemos segui-lo.

75

Regeneração interior é palavra chave quando se pensa em cura. Nosso corpo foi concebido por Deus com essa incrível capacidade de restauração. Basta ver o que acontece quando você tem algum ferimento. Sem a sua vontade, o corpo desenvolve mecanismos para fechar a lesão, cicatrizando-a.

Há pessoas que insistem em dramatizar e reavivar constantemente os episódios infelizes vividos, tanto aqueles em que se sentiram vítimas, como aqueles em que foram os algozes da infelicidade alheia. São prisioneiras de suas próprias histórias. Assim agindo, acumulam perigoso lixo mental responsável pelo declínio das suas forças naturais de restauração da saúde. Vivem sempre enfermas porque não se cansam de mexer no lixo.

Tiremos logo a lama de nossos olhos, para que assim sejamos capazes de enxergar que hoje é um novo dia, e que o melhor tempo para recomeçar, refazer o caminho e seguir adiante se chama agora.

O MÉDICO JESUS

76

Diante de quaisquer ocorrências, paremos de culpar os outros e examinemos em nós mesmos as causas que nos levaram aos problemas de agora. Eles refletem as escolhas que fizemos e os padrões mentais que estamos indevidamente sustentando em nosso prejuízo.

Parar de culpar os outros é assumir o poder de resolvermos os nossos próprios problemas. E isso talvez seja a grande libertação que estejamos precisando em nossa vida. Libertarmo-nos dos outros e assumirmos a responsabilidade por nós.

77

Privilegiamos os acontecimentos do mundo de fora, não dando a atenção devida ao que está acontecendo em nosso mundo interior. É preciso inverter isso! É do mundo interior que nascem as atitudes que poderão transformar nossa vida num céu ou num inferno. Entretanto, se o homem vive inconsciente do que se passa dentro de si mesmo, sua realidade exterior facilmente se transformará num caos.

Quem conhece a si mesmo está no caminho mais próximo da felicidade, por duas razões: 1) está consciente de suas virtudes e, por isso, utiliza todo o potencial de que sabe ser portador e 2) está consciente das suas imperfeições e, assim, pode combater o mal que ainda existe em seu mundo interior, evitando agir em prejuízo de si mesmo.

O homem mais poderoso do mundo, sem dúvida alguma, é o homem que mais se conhece. O mais fraco e impotente, ainda que fisicamente forte, é o que ignora a si próprio.

78

O lar é palco de muitos reencontros. Reencontros de almas abnegadas que nos foram amigas benfeitoras em outras épocas. Reencontros de almas, cuja convivência se revela difícil porque restaram conflitos de outros tempos, pedindo solução no presente.

A reencarnação nos possibilita fortalecer os laços de amizade, já iniciados em vidas anteriores, e desatar os nós de ódios e mágoas que vieram de nosso passado espiritual.

Aproveitemos a experiência na família para desfazer essas antigas marcas do desamor, e isso somente ocorrerá se trabalharmos pela felicidade de todos, fazendo o melhor ao nosso alcance.

79

A maioria dos relacionamentos se torna conflituosa porque cada um está pensando mais em si do que no outro.

Casamos com a intenção de que o outro nos faça feliz. Assim o amor desaparece da nossa vida, porque não renunciamos a nós mesmos. O segredo de qualquer relacionamento é querer fazer o outro feliz. Se eu posso fazer algo para tornar feliz quem amo, ainda que isso me custe alguma postura que não me seja habitual, eu devo sacrificar a minha comodidade e interesse próprio, porque isso fará bem a essa pessoa.

Nenhum relacionamento se torna ditoso, se não houver renúncia de parte a parte entre os que se gostam. Se cada um trabalhar pela felicidade do outro, a união será rica de bênçãos. Jamais haverá verdadeiro amor sem renúncia.

A renúncia ao egoísmo passa, necessariamente, pela redução da importância que atribuímos a nós mesmos.

80

Nós queremos a boa vida ou a vida boa? Nem sempre a boa vida significa vida boa. Muitos estão na boa vida do egoísmo, do vício, da indisciplina, do crime, da preguiça, da corrupção e da ignorância. Hoje gozam a boa vida. Logo mais experimentarão a má vida.

O egoísmo está na raiz de todos os nossos males. E a Espiritualidade nos diz que o egoísmo alimenta a boa vida. Cuidado. O egocentrismo nos faz desrespeitar o próximo para atender às nossas necessidades. Com isso teremos a boa vida, mas nunca a vida boa, porque o mal que fizermos a alguém, nós faremos primeiramente a nós mesmos.

81

Nossas queixas, reclamações, comentários maledicentes e pessimistas podem ser equiparados a verdadeiras bombas lançadas em nossa trilha, arrasando a saúde e a paz.

O rebelde não é cooperativo, quer que as coisas sejam de seu modo, não tem flexibilidade e humildade, por isso vive atolado em problemas que terminam por enfraquecer suas resistências físicas, vivendo em quase completo esgotamento. Daí porque, provavelmente, viverá na Terra menos do que poderia viver.

Deus não nos colocou no planeta para criticarmos a sua obra. Não somos fiscais e sim cooperadores de Deus. Aqui estamos para aperfeiçoar a Criação pelo nosso próprio aperfeiçoamento.

Então, vamos positivar a nossa vida, atraindo o bem, trocando a crítica pelo elogio, a queixa pela gratidão, a revolta pela tolerância, a reclamação pelo serviço.

82

Jesus deseja que o amor seja fundamental em nossa vida, e, para tanto, fazer o outro feliz é o maior sinal da presença do amor em nossa vida.

O amor é um compromisso. Mas um compromisso para hoje. Não é amanhã ou depois. É hoje! Porque o único instante que temos para viver é hoje, é o momento de agora. Por isso Jesus está esperando você tocá-lo agora mesmo.

Tocá-lo na pessoa daqueles que seu amor pode alcançar neste momento, pois somente assim o amor penetrará as fibras mais íntimas do seu coração, trazendo-lhe a felicidade que tanto deseja.

Não hesite um segundo mais! Feche as páginas deste livro e só volte a abri-lo depois de tocar alguém com o seu amor. É somente isso que Jesus espera de nós: que toquemos o mundo à nossa volta com o nosso amor.

83

A melhor forma de ter uma existência abençoada é abençoar a própria vida. Ninguém é abençoado sem antes abençoar. Ninguém recolhe o bem sem o plantar. Abençoar é desejar e promover o bem.

Quando abençoo alguém, eu estou doando o bem para essa pessoa, eu estou lhe dando uma bênção. Ao envolvê-la nas ondas do sentimento do bem, automaticamente eu entro no fluxo da energia do bem divino que envolve toda a Terra e sou tocado abundantemente por essa força grandiosa que emana do coração de Deus.

Quando atuo no bem eu me aproximo do bem de Deus, quando ajo no bem, o bem age em mim. Eu não preciso dizer quanta cura e libertação essa atitude é capaz de nos trazer. Ser aquele que abençoa é fazer cair chuva de bênçãos em sua própria vida.

84

Não aceite mais ficar magoado, não aceite mais ficar decepcionado com a vida ou com quem quer que seja. Você está ciente de que escolher a mágoa e a desilusão é escolher a doença.

Livre-se das interpretações dramáticas que fez a respeito do que lhe aconteceu. Os fatos são os fatos, tudo depende da maneira como os interpretamos. Uma leitura doentia, mórbida, baseada apenas na observação dos aspectos negativos das pessoas e circunstâncias, turvará nossas paisagens mentais com as mesmas tintas obscuras com que enxergamos a vida.

Vencer o mundo da doença é colocar-se acima das desilusões e mágoas, e isso somente será possível se tivermos ânimo e boa vontade para recomeçar e seguir adiante. Além do mais, se não perdoarmos a quem nos ofende, com que direito pediremos o perdão ao próximo quando for a nossa vez de errar?

85

Deus deseja que saiba que você não está só, você não é um filho sem pai, você não foi abandonado por Ele. Isso não lhe parece muito bom? Saber que Deus estará com você, aonde quer que você vá?

Quando você estiver no leito do hospital, Deus estará com você, inspirando médicos e enfermeiros.

Quando você estiver se sentindo a pior pessoa do mundo, Deus estará segurando a sua mão com toda a ternura. Quando você estiver na pior enrascada, Deus estará em sua companhia, soprando em sua mente os caminhos da solução.

86

Ninguém tropeça em montanha. Tropeçamos em pedras pequenas quase que todos os dias, e o acúmulo de nossas pequenas quedas é que nos leva muitas vezes ao chão das enfermidades.

Cuidado com as pequenas pedras, pois elas nos parecem inofensivas. Quando os excessos à mesa se repetem, quando os abusos da bebida se sucedem, quando o descontrole emocional não cessa, tenha certeza de que o corpo vai apresentar mais tarde a conta dos nossos desequilíbrios.

Um método eficiente para evitar esse mal consiste em você identificar primeiramente as pedras, nas quais tem tropeçado e, ao avistá-las em seu caminho, ativar firmemente o poder da sua atenção. Conscientize ao máximo sua ação de comer, beber, falar, agir ou qualquer outra conduta que você esteja querendo modificar.

87

A espiritualidade nos pede para cada um de nós amar a sua cruz, pois ela é que nos servirá de ponte à felicidade. Pede para que cada um ame a sua realidade, que é a sua cruz diária na família, no trabalho, na doença, na dificuldade financeira, enfim, em todos os obstáculos que nos cercam. "Amar a sua cruz" não é amar o sofrimento, mas é aceitar, de bom grado, o desafio de agora, sabendo que ele nos servirá de ponte para novos caminhos.

Vivemos reclamando do que temos e do que somos, não aceitamos a realidade em que estamos inseridos e não vemos os desafios de crescimento que a sabedoria divina embutiu em cada dificuldade que vivenciamos. Nossos problemas são coerentes com as nossas necessidades de evolução.

O tamanho da nossa cruz reflete o quanto precisamos nos adiantar em termos de crescimento pessoal. Atraímos os problemas com a finalidade de aprendermos mais sobre nós mesmos.

SOCORRO E SOLUÇÃO

88

Deus não está jogando dados. Quando a vida traz um "não", há sempre um "sim" oculto em alguma parte do quebra-cabeça da nossa existência. As vitórias não são apenas constituídas de pequenas conquistas, mas também de muitos fracassos.

Visitado pela dor, não se entregue ao desalento. Siga em frente porque você está a poucos passos de encontrar a cura para suas dificuldades. Ore e confie, o Médico Jesus está atento e por perto. Caminhe ainda que a passos lentos, saiba que a resolução de todo e qualquer problema somente surge se você não desistir de viver.

89

Alguns pensamentos que cultivamos são pensamentos venenosos, que produzem descargas químicas, altamente, prejudiciais à nossa corrente sanguínea, adoecendo o corpo físico.

Os pensamentos contínuos de ódio, inveja, medo, tristeza e outros tantos pensamentos negativos são bombas dinamitando a nossa saúde. Não vale a pena, por exemplo, ficar com raiva de alguém porque essa raiva agride primeiramente a nós mesmos. Somente as ideias renovadoras produzem os remédios necessários para a nossa cura.

Curar é renovar-se. Pense no que você está precisando renovar em sua vida e comece seu processo de cura pelas ideias renovadoras – as que renovam você, que o deixam motivado, esperançoso, confiante e feliz. Há um laboratório infinito em nossa mente. Somos deuses, como afirmou Jesus de Nazaré.

Você é o seu próprio remédio.

90

O amor de Deus me envolve neste exato momento.

Sei que essa energia divina me preenche por inteiro.

Vou me sentindo como uma criança nos braços de Deus.

Sinto-me amparado e muito amado.

O amor de Deus me aceita como sou.

Deus me olha e me aprova.

Minhas quedas foram apenas inexperiências.

Meus erros foram apenas lições.

E nem por isso Deus deixou de me amar.

Aquelas lições já terminaram. Tudo já passou.

Agora, estou pronto para novas experiências.

O passado não tem mais força sobre mim.

Só o amor me governa e me orienta.

Hoje, começa uma nova vida para mim.

Deus me socorre neste momento. Eu sou a solução da felicidade que desejo.

Estou feliz, estou em paz, estou em Deus.

Assim seja!

SOCORRO E SOLUÇÃO

91

O pensamento é uma poderosa força eletromagnética que pode abrir portas ou fechar caminhos. A alma, ou espírito, é um ser essencialmente energético, e sua energia varia de acordo com o padrão de pensamentos e sentimentos que está irradiando.

Quando alguém alimenta pensamentos tristes, estará produzindo uma energia negativa correspondente, e essa energia se volta contra a própria pessoa que a produziu, deixando-a abatida, doente e sem forças para enfrentar os desafios da sua vida. Nenhum tipo de pensamento deixa de ser compartilhado pelo corpo.

A mente está conectada com cada célula do nosso organismo, de modo que qualquer tipo de pensamento, positivo ou negativo, reverbera em cada célula e em cada órgão do corpo.

92

$\mathcal{E}$vite a preocupação, pois ela consome nossas melhores energias, que antes deveriam ser canalizadas para a resolução das dificuldades orgânicas. A preocupação gera tensão e ansiedade, cujas emoções aumentam a produção dos hormônios responsáveis pelo estresse.

Diante de um problema, avalie: se algo puder ser feito, faça logo e não se preocupe. Muitas pessoas vivem preocupadas com seus problemas e doenças, mas estão com as mãos desocupadas e com as horas vazias de tédio. Deus jamais fará algo que nós mesmos já temos condições de fazer. Em regra, quem muito se preocupa pouco se ocupa.

Todas as nossas aflições são frutos de um determinado pensamento, e pensamento é algo que poderemos mudar a qualquer tempo. Por que pensar no pior se você pode pensar no melhor?

93

Muitas vezes, nosso melhor amigo se afasta na hora em que mais precisamos. Mas Jesus continua conosco. Às vezes, nossos amigos se ausentam quando tropeçamos e, de amigos, passam a ser nossos inimigos. Mas Jesus não vira a cara para nós quando caímos. Ao contrário! Ele permanece ao nosso lado e nos estende a mão para nos levantar.

Nossos amigos muitas vezes mudam de humor em relação a nós, mas Jesus continua nos amando, imperturbavelmente.

Nossos amigos mudam de tempos em tempos, porém Jesus nos oferece sua amizade sem prazo de validade. Então, se temos um amigo fiel e constante, não poderemos dizer que estamos abandonados. Jesus nos conhece pelo nome, sabe quem somos e aquilo de que precisamos. Você tem algum amigo disposto a morrer por você? Provavelmente, não. Mas Jesus já fez isso por nós.

Por isso, Cristo é o nosso amigo nas horas difíceis e se acha ao nosso lado, inspirando-nos os caminhos que deveremos seguir para a solução de nossos conflitos.

ALGUÉM ME TOCOU

94

O problema nos convida a sair do lugar, chama-nos para a utilização de capacidades adormecidas pela nossa acomodação, pede-nos para ver uma determinada situação de outra maneira.

A hora da dificuldade é a hora do passo acima, isto é, a hora de avançar, crescer, modificar algo em nossa vida. Ninguém dá um passo adiante se não tirar o pé do chão. Se a dificuldade nos visita, saibamos que chegou a hora da promoção, a hora de avançar utilizando as ferramentas da humildade e da responsabilidade. Sem elas, ficaremos acomodados no chão da 'vitimização', sofrendo desnecessariamente.

Vamos tirar o pé do chão?

95

Jesus tem a fonte da água da nossa paz. Se estivermos irritados, usemos a água da paciência. Se nosso orgulho estiver ferido, usemos a água da humildade. Se nosso coração estiver cheio de mágoas, usemos a água do perdão. Se nossa mente estiver agitada, usemos a água da paz.

Talvez estejamos cansados de sofrer, exaustos por tantas guerras e conflitos, sedentos por uma vida nova. Como no passado, Jesus continua junto ao poço na Samaria oferecendo-nos a água de seu Evangelho. Aceita um copo?

96

De quando em quando, procure estar em contato mais próximo com a natureza. O ar puro da montanha, a brisa do mar, o bosque florido, o cantar das águas de um riacho produzem efeitos maravilhosos para a saúde.

A natureza é o laboratório de Deus, local onde podemos sorver as energias mais adequadas em favor do nosso equilíbrio e serenidade. As tensões do dia a dia vão se acumulando no corpo e afetam as engrenagens da saúde gerando muitos distúrbios físicos. Experimente essa receita:

– Tome um banho de mar ou cachoeira;

– Ande descalço na grama ou à beira-mar;

– Deite-se sob a sombra de uma árvore;

– Abrace carinhosamente uma árvore frondosa;

– Admire a noite estrelada;

– Sinta o cheiro de terra molhada;

– Converse com as flores;

– Contemple o nascer e o pôr do sol;

– Ouça o cantar dos pássaros.

A mãe natureza está aguardando sua visita.

97

A doença sinaliza muitas vezes a falta de alegria em nossa vida, e a gratidão é a grande alavanca do contentamento. A ingratidão, por sua vez, demonstra a teimosia que temos em não enxergar quanta coisa boa já nos ocorreu e ainda nos ocorre, todos os dias e isso nos afasta da felicidade e da saúde.

Quando focalizamos aquilo que parece errado em nossa vida, costumamos esquecer aquilo que está certo. Costumamos nos queixar de um determinado órgão que está enfermo, mas será que já agradecemos aos demais que funcionam perfeitamente?

Converse carinhosamente com seu corpo. Agradeça a todos os seus órgãos o esforço e o trabalho que eles têm feito a seu favor durante todos esses anos. Desculpe-se também por não ter dado a eles a devida atenção e cuidado. Não esqueça que, para ser abençoado pela vida, você primeiro precisa abençoá-la também.

98

Deus não o criou fraco, covarde e temeroso. Deus o concebeu com poder suficiente a vencer quaisquer lutas e dificuldades. Mas é o espírito de temor que diminui a nossa força.

Visualize-se forte durante as tempestades, porque essa é a sua natureza. E saiba que a tempestade vai passar porque somente o bem é eterno.

O mal tem existência passageira porque ele não procede de Deus. O mal existe apenas na mente do homem, e por tanto acreditar no mal o homem acaba se envolvendo com ele.

Quando fecharmos as portas para o mal em nossas mentes e em nossas atitudes, o mal desaparece como uma bolha de sabão.

99

Amar é querer bem a alguém, então todas as vezes que queremos o bem de alguém e fazemos algo para que isso ocorra estamos amando essa pessoa.

E, quando temos um gesto de amor na Terra, abrimos automaticamente as portas do céu para nós. Não sejamos meros conhecedores das verdades espirituais. Se formos a um restaurante, não nos alimentaremos se ficarmos apenas olhando para o cardápio. É preciso escolher o prato e depois saborear a comida. É a alimentação que sustenta a nossa vida biológica.

O mesmo ocorre com os ensinamentos espirituais. Não basta conhecê-los dos livros sagrados, precisamos saboreá-los em nossa vida, pois somente assim andaremos com a luz espiritual da felicidade.

100

Se você não estiver bem consigo mesmo, você não estará bem com o resto do mundo.

Nada lhe dará certo. Nenhum emprego será bom, nenhum relacionamento será satisfatório, nenhuma conquista o preencherá, absolutamente nada estará bom para você. Você acordará desmotivado, cansado e o tédio dominará as longas horas do seu dia.

Você se sentirá perseguido por um forte inimigo que é você mesmo. Mas há um espaço em nós onde tudo é belo, simples e maravilhoso. Um espaço onde a energia é exuberante, onde nossos caminhos se abrem, onde as portas se destrancam, onde a vida volta a ser feliz.

Em nosso mundo interior há um jardim secreto onde nos abrigamos em paz, onde choramos sem vergonha, onde nos sentimos livres de julgamentos, onde nossa criança brinca despreocupada, onde nosso amor não tem limites, onde Deus mora conosco.

101

Quando as tormentas se agigantarem em nosso caminho, quando os sofrimentos parecerem insuportáveis, restabeleçamos, em regime de urgência, nossa confiança irrestrita no poder de Deus.

Não bloqueie o socorro que Deus tem para você com a incredulidade ou a revolta, tampouco queira ensinar o que Ele deve fazer. Tenha certeza de que seu Pai sabe o que é melhor para você. Confiar em Deus é entregar-se a Ele, e não querer conduzi-Lo, como se isso fosse possível.

Deus é justo e soberanamente bom, portanto, tudo o que nos acontece concorre para o nosso próprio bem, ainda que isso não nos seja visível em um primeiro momento.

Pare de lutar desesperadamente, faça a sua parte, sim, mas dê uma chance a Deus.

102

Não se sinta impotente diante dos desafios que surgirem em seu caminho.

A sensação de impotência, quando prolongada, traz repercussões negativas para a função imunológica, que é o mecanismo de defesa do organismo contra várias doenças.

Seu abatimento espiritual repercute em cada célula do corpo. Compare seu organismo a um exército, sendo a mente o general e as células os soldados. Se o comandante enfraquece, toda a tropa também se abate.

Há dentro de você uma força grandiosa, capaz de lhe impulsionar para a superação de quaisquer desafios. Não deixe essa força estagnada, jamais se dê por vencido, para tudo sempre há uma saída, sempre haverá uma solução.

103

Não sinta vergonha de suas quedas e dificuldades.

Todos nós tropeçamos nas pedras da vida. Importa levantar e seguir adiante, porque somente caminhando é que conseguiremos deixar para trás os problemas, aparentemente, insolúveis.

Muitas vezes, apenas o tempo conseguirá solucionar pendências que estão além de nossas possibilidades de agora. O relógio somente tem serventia se os ponteiros continuarem avançando na linha do tempo.

Por isso, vale a pena refletir no conselho do poeta Cornélio Pires:

Tolera com paciência qualquer problema ou pesar, não adianta morrer, adianta é se melhorar.

104

Cultive a alegria e o bom humor, pois a saúde anda de mãos dadas com esses dois poderosos remédios. O sorriso é a maior expressão da alegria, tão importante como os remédios e terapias. A ciência médica já comprovou que o riso é terapêutico, tem poder de relaxar as tensões, melhorar a circulação sanguínea e fortalecer o sistema imunológico.

Comece rindo de si mesmo, não se leve tão a sério. Ria das coisas ridículas à sua volta. Curta o lado engraçado da vida e isso trará benefícios enormes para a saúde. Quando você sorri com a alma, todo o seu corpo sorri também, e isso provoca um afrouxamento geral das tensões.

Encontre graça nos episódios do cotidiano, pois uma pessoa sem graça geralmente é sem saúde também.

105

A vida sempre exige o melhor de nós, pois é dessa forma que a lei de evolução se cumpre. Quando não damos o melhor, surge a prova para estimular esse melhor de nós.

Quem dramatiza a própria dor está perdendo a oportunidade de resolver os seus problemas; certamente está aumentando a carga das suas aflições.

A dramatização é um excesso de importância que damos a determinado problema. E tudo a que damos importância tende a crescer. Tanto quanto possível, vamos tirando a importância do problema, pois aos poucos ele vai diminuindo de tamanho, vai deixando de ser aquele monstro que a nossa mente criou pela dramatização até ficar do tamanho real que ele tem, e assim poderá ser solucionado com muito mais facilidade.

JOSÉ CARLOS DE LUCCA

É juiz de direito em São Paulo, desde o ano de 1.989. Ainda pequeno sentiu profundo impulso para o estudo de temas ligados à espiritualidade, desenvolvendo seus potenciais no campo da mediunidade de consolo e esclarecimento.

Já realizou graciosamente mais de 3.500 palestras focadas em motivação e desenvolvimento do potencial espiritual do ser humano, falando a um público estimado de mais 3 milhões de pessoas.

Seus livros já venderam mais de **1 milhão de exemplares**.

Todos os direitos autorais de seus vinte e sete livros publicados até o momento foram cedidos a entidades filantrópicas, cuja renda ajuda a manter mais de 100 mil pessoas necessitadas.

Fundou, juntamente com outros amigos, o Grupo Espírita Esperança (grupoesperanca.com.br), e juntos trabalham na divulgação e prática do Espiritismo, promovendo o potencial de luz de cada um de nós como a mais excelente terapia para os sofrimentos humanos.

Apresenta programas semanais na **rádio Vibe Mundial**, **rádio Rio de Janeiro** e **Web Rádio Fraternidade**.

Mais informações:

🌐 www.jcdelucca.com.br

📷 @josecdelucca

📘 orador.delucca

José Carlos De Lucca

DO CORAÇÃO DE JESUS
O que Jesus diria para você, hoje

O MESTRE DO Caminho
Reflexões de vida à luz dos ensinamentos de Jesus

AQUI e AGORA
Espiritualidade prática para o dia a dia

Simplesmente FRANCISCO

José Carlos De Lucca
ALGUÉM ME TOCOU

José Carlos De Lucca
MAIS DE 1 MILHÃO DE LIVROS VENDIDOS
O MÉDICO JESUS

JOSÉ CARLOS DE LUCCA
MAIS DE 1 MILHÃO DE LIVROS VENDIDOS
PENSAMENTOS QUE AJUDAM
INSPIRAÇÕES DE PAZ, SAÚDE E FELICIDADE PARA A SUA VIDA

JOSÉ CARLOS DE LUCCA
RECADOS do meu coração
BEZERRA DE MENEZES

Para receber informações sobre os lançamentos da
INTELÍTERA EDITORA, cadastre-se no site:

www.intelitera.com.br

Para saber mais sobre nossos títulos e autores,
bem como deixar comentários sobre este livro,
envie e-mail para:

atendimento@intelitera.com.br

Conheça mais a Intelítera:

- youtube.com/inteliteraeditora
- www.instagram.com/intelitera
- facebook.com/intelitera